Chiqui Cuentos

Chiqui Cuentos

Chiqui Cuentos

Chiqui Cuentos

Chiqui Cuentos

Chiqui Cuentos

D1267320

Dirección del Proyecto Editorial:
Trini Marull

Dirección Editorial:
Isabel Carril

Coordinación Editorial:
Begoña Lozano

Edición:
Cristina González

Preimpresión:
Pablo Pozuelo

Diseño de cubierta:
Óscar Muinelo y Andrés Guerrero

Diseño de logotipo:
Alcorta-Gelardin

1.ª edición: 2013
2.ª edición: 2018

A Julieta
y Ladis,
estrellas.

ISBN: 978-84-696-0584-4
Dep. legal: M-4929-2016
Printed in Spain

Mi abuelo es una estrella

Cuento: Sacha Azcona
Ilustraciones: Subi

 Bruño

Me gusta mucho estar con mi abuelo.

Cuando vamos al parque, se sienta
en un banco y me ve montar en bici
y jugar a la pelota.

Mi abuelo es muy viejecito y no puede
montar en bici.

Cuando paseamos,
me enseña las formas de las nubes
y nos inventamos historias.

A veces me lleva a tomar un helado
y me dice que no se lo cuente
a mamá ni a papá.

Pero siempre se acaban enterando.

Un día mamá vino con los ojos tristes.

Me dijo que el abuelo se había ido
muy lejos.

Ya no podremos ir al parque
ni a comer helados.

—¿Dónde ha ido el abuelo? —le pregunté a mamá.

—Se ha ido al cielo —me dijo ella.

—¿Y cómo ha llegado al cielo, mamá?

—Subiendo de nube en nube.

—¿Como una escalera?

Mamá no respondió y me acarició el pelo.

Entonces yo también me puse triste.

Cuando voy al parque
lo busco en las nubes.

Pero las nubes
ya no tienen formas.

Miro su banco y está vacío.

Y me duermo y estoy triste.

Echo de menos a mi abuelo.

Hoy mamá me ha dicho que el abuelo
ya ha llegado al cielo.

Ahora mi abuelo es una estrella.

Entonces papá ha tenido una idea
genial.

Me ha llevado a la cocina,
y con un rollo de cartón enorme
me ha construido... ¡un telescopio!

Con lápices de colores he pintado mi telescopio.

Cada noche, antes de acostarme,
me asomo a la ventana con mi telescopio
y veo a mi abuelo.

Le digo hola con la mano y él brilla
muy fuerte.

Es como si estuviera diciéndome hola.

—Hola, abuelo.

Entonces me duermo y sonrío.

Chiqui Cuentos

Chiqui Cuentos

Chiqui Cuentos

Chiqui Cuentos

Chiqui Cuentos

Chiqui Cuentos